掌上科技馆

从电火花到发电站

[英] 凯瑟琳·怀曼 著

庄莉 译

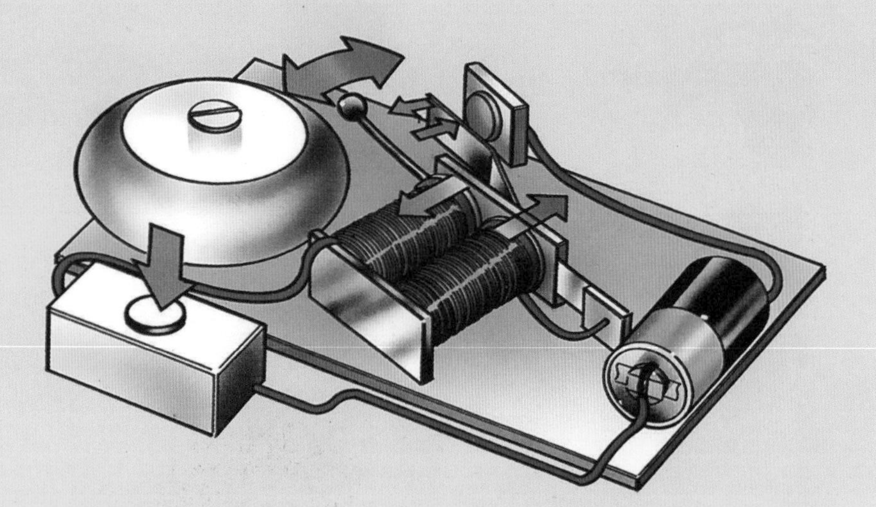

科学普及出版社

·北 京·

图书在版编目（CIP）数据

从电火花到发电站 /（英）凯瑟琳·怀曼著；庄莉译.
—北京：科学普及出版社，2017
（掌上科技馆）
ISBN 978-7-110-07405-3
Ⅰ.①从… Ⅱ.①凯… ②庄… Ⅲ.①电能－青少年读物 Ⅳ.① O441.1-49
中国版本图书馆 CIP 数据核字 (2016) 第 294225 号

书名原文：HANDS ON SCIENCE：Sparks to Power Stations

An Aladdin Book
Designed and directed by Aladdin Books Ltd
PO Box 53987 London SW15 2SF England

著作权合同登记号：01-2013-3440

责任编辑　李　睿
封面设计　朱　颖
图书装帧　锦创佳业
责任校对　杨京华
责任印制　张建农

科学普及出版社出版
http://www.cspbooks.com.cn
北京市海淀区中关村南大街 16 号　邮政编码：100081
电话：010-62173865　传真：010-62179148
中国科学技术出版社发行部发行
鸿博昊天科技有限公司印刷
开本：635 毫米 ×965 毫米　1/8
印张：4　字数：40 千字
2017 年 3 月第 1 版　2017 年 3 月第 1 次印刷
ISBN 978-7-110-07405-3/O · 181
印数：1-5000 册　定价：15.00 元

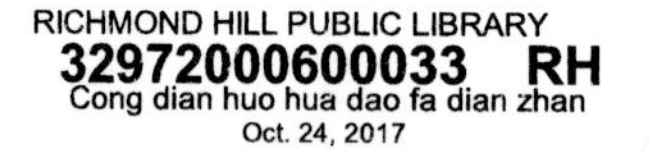

目录

本书从电火花这种自然现象讲起，一直讲到了发电站的工作原理，通过这一过程系统地介绍了电能常识。书中通过如下的图示，形象地向小读者介绍了科学知识，展示了如何利用简单的设备来做一些科学小实验。同时还提出了一些有趣的小问题，让小读者通过自己的思考更加深入地理解关于电能的知识。书后还介绍了一些关于电能的重要科学发现，它们都对人类生活产生了深远的影响。

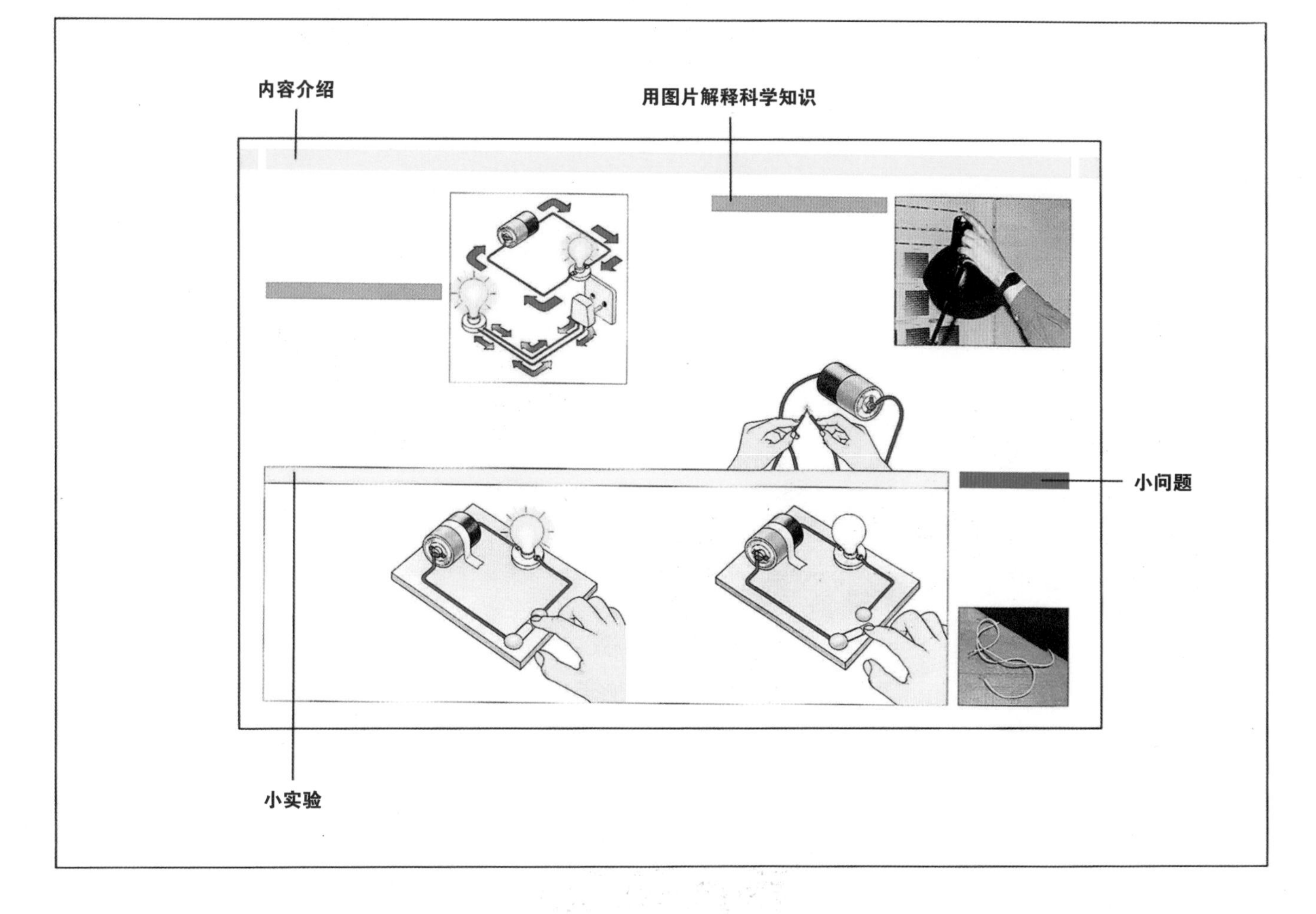

导 读

你能想象没有电的生活会是什么样子吗？如果没有电视、电灯、收音机、电脑，我们的生活又会是什么样的？这些家用电器给我们的生活带来了便利与乐趣，已经成为我们日常生活中不可缺少的物品，但你知道吗，它们是在最近 70 年内才得到广泛应用的。即便是现在，世界上很多地方还处于电力紧缺的状态。在这些地方，没有大型的发电站为当地居民提供必要的生活用电，居民只能靠生火来取暖，点煤油灯来照明，依靠动物来驮运重物。

在自然界中可以产生电流，例如出现闪电时，会有大量电荷移动，从而形成电流。也可以人为产生电流，大型发电站可以将电流输送到家庭、学校及工厂。这些发电站发出的电能足够让千家万户在夜晚有明亮的灯光与温暖舒适的环境。阅读本书，你会了解更多关于电能的知识。书中还会带着你动手做一些小实验，从而了解电的工作原理。

▽电流通过绝缘电缆传输到需要它的地方。

电火花

所有物质都是由一些极其微小的粒子组成的，而其中一些粒子是带有电荷的，即正电荷和负电荷。当带有负电荷的粒子从一个地方移动到另一个地方时就产生了电流。脱晴纶衣服时，瞬闪即灭的火花其实就是电荷流动的一种表现形式，而你也可以将闪电简单地理解为一个大火花。

△闪电携带着巨大的能量。它的光亮可以传播到很远的地方，它可以劈毁树木，摧毁建筑物，还可能危及人的生命。闪电过后随之而来的是轰隆作响的雷声。

闪电是如何产生的?

闪电是由于大量负电荷的流动产生的。当大量的电荷在云间移动时，电荷间的互相碰撞产生光能，这就是闪电具有耀眼光芒的原因。下面的图向我们说明了电荷是如何移动并产生火花的。当一朵云中的小水滴以及冰晶相互撞击时，在云中会积聚大量的电荷。此时，云朵底部的负电荷数量会越来越多，而云朵下方的地面上的负电荷数量没有变化，于是负电荷从云中向地面高处移动，这就是闪电会击中树木或高层建筑的原因。负电荷移动的同时会发出巨大的声音——这就是震耳欲聋的雷声。

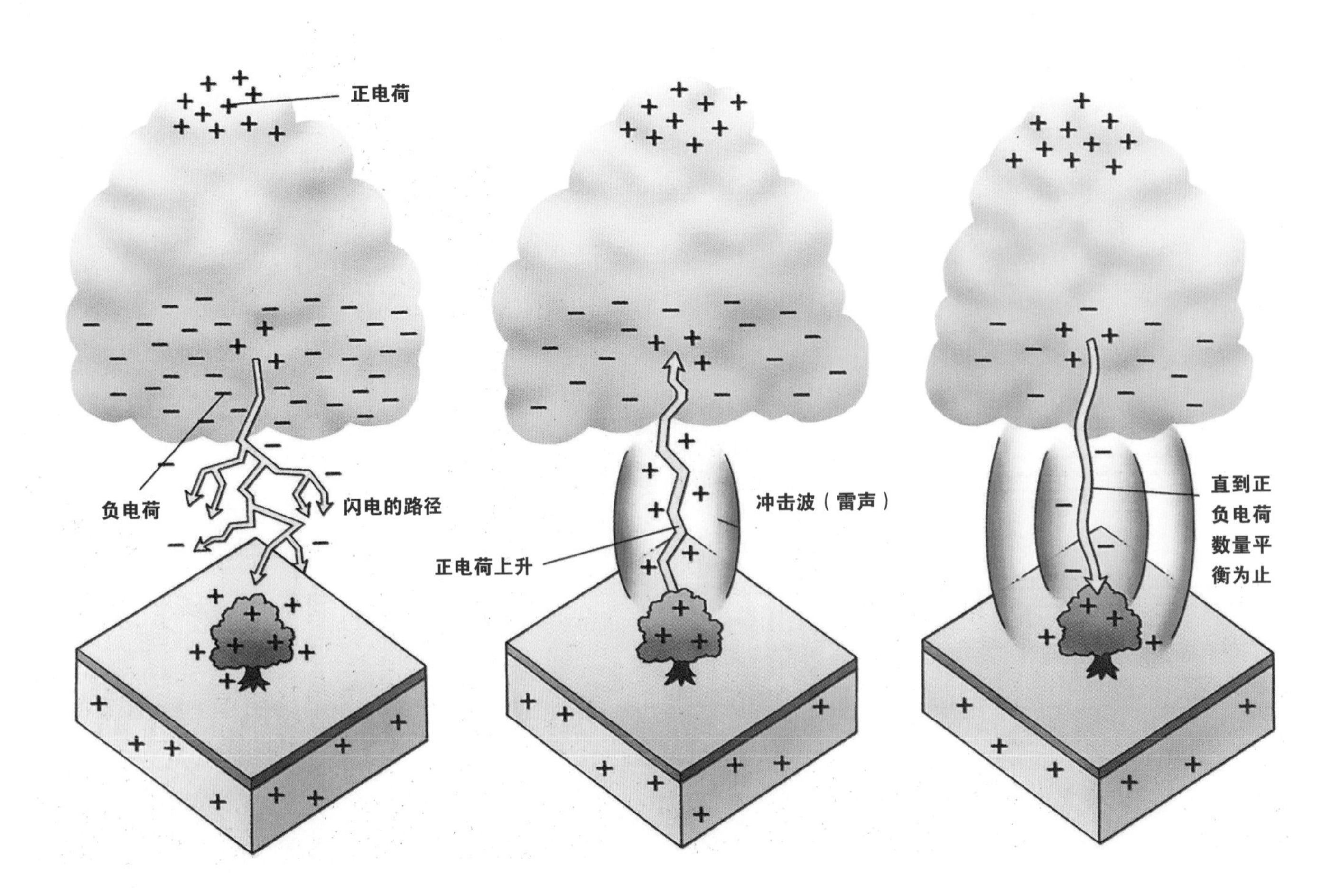

烟囱中的过滤装置

一些企业会通过烟囱向大气中排放粉尘及有毒有害的化学物质。这种污染对于依靠空气生存的动植物来说往往是致命的——我们人类也一样逃脱不了这种空气污染带来的伤害。但是通过在烟囱中装上带电粒子过滤装置，便可以有效地降低污染程度。因为携带相反电荷，过滤装置中的带电粒子会捕捉粉尘中的带电粒子，阻止其逸出烟囱，并让它们最终沉积在烟囱内。但这些粒子并非是互相“吸引”的，更确切地说它们是互相“纠缠”在一起的。

△这座烟囱中安装了过滤装置，这让它的排污量降到了最低。如果过滤装置中使用的是带有正电荷的粒子，那么它将过滤粉尘中的负电荷粒子。

电荷

电荷移动产生电流，当电荷静止不动时也会形成“静电”。将两个物体相互摩擦即可产生静电，例如将一个吹足了气的气球与化纤布料的衣服互相摩擦后，你会发现气球可以吸起一些轻薄的物品，甚至可以让细小的水流发生弯曲，这种“魔力”其实就是静电的作用。

带有静电的气球可以吸起纸屑。

细小的水流也会被气球上的静电吸引而弯曲，直至与气球接触到一起。

小问题

这个正在脱下罩衣的男孩的头发怎么竖起来了？那些闪闪发亮的是什么？试着解释一下这个现象。另外，注意观察一下，当你脱衣服时是否也会遇到同样的情况？

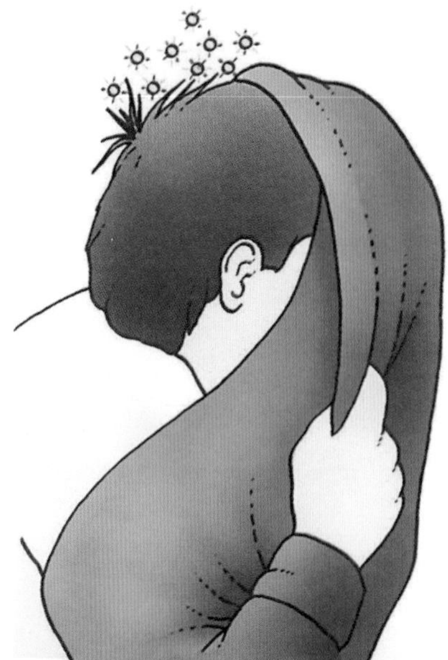

对于工业生产以及日常生活来说，静电几乎是没有什么用处的，所以我们使用的是可控的交流电或直流电——即通过电荷移动产生的电能。电池是一种既安全又方便的电源，它利用内部的化学物质产生电能。

电池的工作原理

电池可以在需要的时候产生电流。在电池内部有两个被特殊化学物质包裹的金属部分。当电池与电器设备连接到一起时，电源内的化学物质就会发生化学反应，释放出带电粒子。负电荷积聚在电池一端，正电荷积聚在另一端。负电荷随之向电器内移动，并最终回到电池内。只要这样的电源保持连接不断开，电器设备（如手电筒）就能正常使用。

△这是一个普通电池的截面示意图。负电荷从阳极端进入到电器设备（如手电筒）中，然后从阴极端回到电池内。

电池的使用

手电筒、钟表及很多移动电子设备都需要使用电池供电。根据应用的不同，电池有很多种不同的种类与型号，最小型的电池可应用在助听器与微型计算器上，有些电池可使用很长时间。电池可根据所使用的金属物质及化学物质进行分类，其中最常见的化学物质是锌、碳、镁、锂、铅等。随着科学技术的发展，不断有新型的电池被开发出来。

▽这是一些常用的电池种类，它们的大小、外形不尽相同。

充电电池

当电池内的化学物质耗尽，不能再提供电能时，它就要被扔掉了。但有些电池是可以充电的——即对电池中的化学物质进行补充，让它们再次发生化学反应。充电电池的使用寿命更长，而且可以随时充电。汽车电瓶就是一种充电电池，体积更小的充电电池可用在手电筒中。现在，充电电池的应用很广泛，充电汽车、充电轮椅、手机的电池等都是可充电的。随着科技的进步，充电电池必将为我们的生活带来更多便利。

▷ 可充电的汽车电瓶，它们可以直接接入电源充电。

制作简易电池

将两片不同材质的金属片插入到一个柠檬中。确保不让这两个金属片接触到一起。每一个金属片上连接一根导线。用你的舌头接触导线的另一端（确保两根导线不要接触到一起）。你的舌头会感觉到一阵阵轻微的刺痛感。这种刺痛感是由电流经过舌头所引起的。

将相当数量的铜币与镍币交叉堆放在一起，每枚硬币之间插入一张用盐水浸泡过的吸墨纸，使硬币之间不会相互接触。按图所示，用绝缘胶带将两根导线与一枚小灯泡连接到一起，两根导线的另一端则分别连接到硬币堆的上下两端，此时灯泡会亮起来。

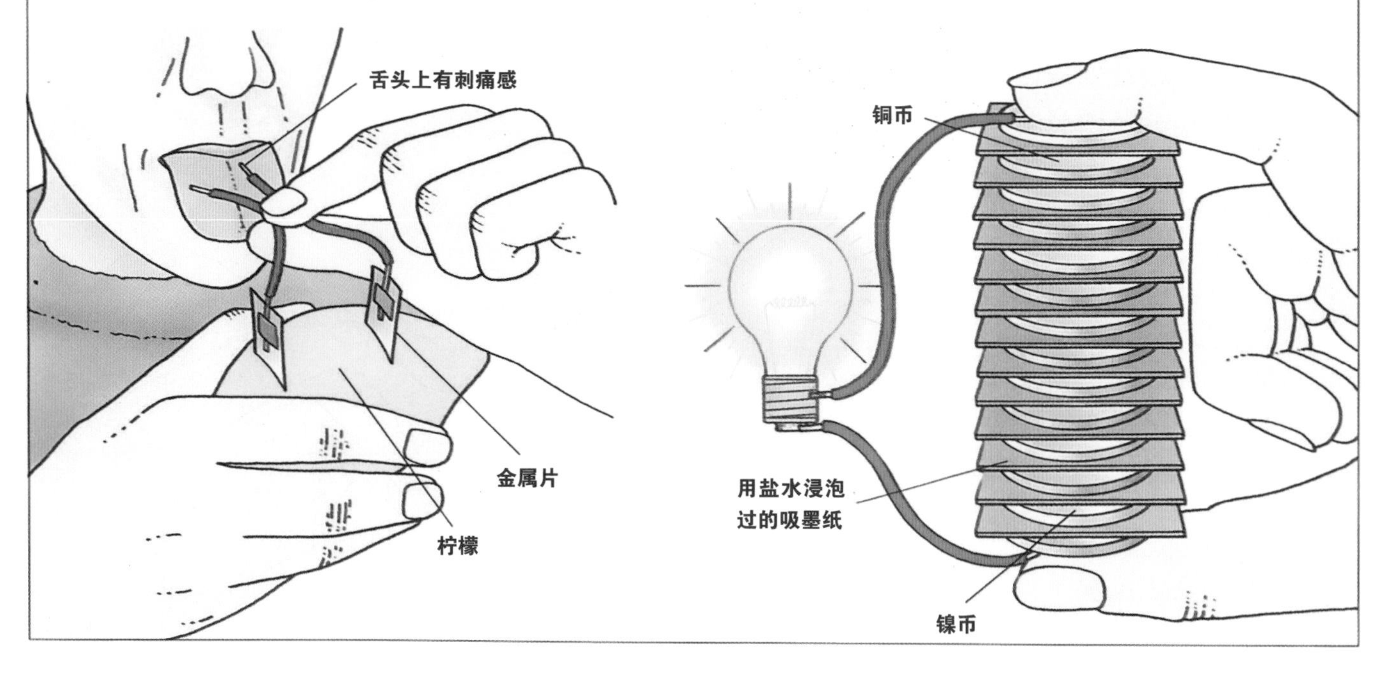

简单地说，电路就是电流行经的路线。手电筒的电路相对简单，由两根导线、几节电池及一个灯泡组成。在电路处于连通状态的情况下，电池中的电流会通过一根导线源源不断地输入灯泡中，灯泡保持常亮，直到电池中的电能耗尽为止。

电流的类型

由电池供电产生的电流总是向一个方向传输，我们将其称之为直流电（DC）。不过，在大多数情况下，我们使用的是由发电站送来的电流，这种电流总是在不断地改变着传输方向——向前或向后，其改变方向的频率一般保持在每秒 50～60 次，这种电流被称为交流电（AC）。与直流电相比，交流电的传输效率更高，而且对于大多数应用来说，交流电更为高效与环保。

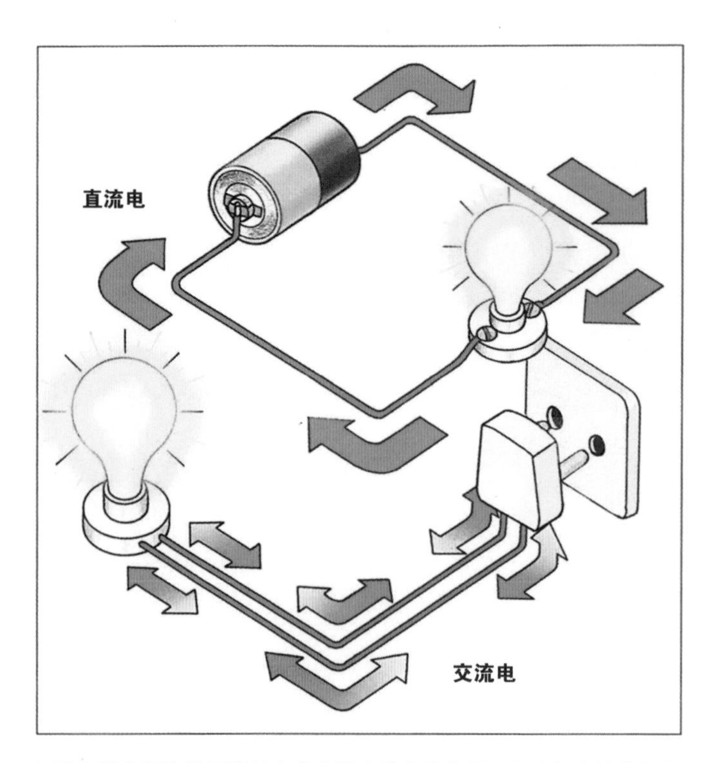

△手电筒中灯泡使用的是来自电池中的直流电源。而房间内的电灯泡则多使用交流电作为其电源。如果只看灯泡，你很难说出它使用的是直流电还是交流电。

制作电路

按右图所示，你可以制作一个简单的电路。这里所使用的导线要将其两端的绝缘层去掉，这时最好寻求家长的帮助。图中的开关使用的是一根回形针。当开关处于连通状态时，灯泡应该被点亮。如果接通开关后灯泡没亮，那你应该检查一下电路中是否有断点。当断开开关后，灯泡应该熄灭。移走回形针后，电路随即断开。

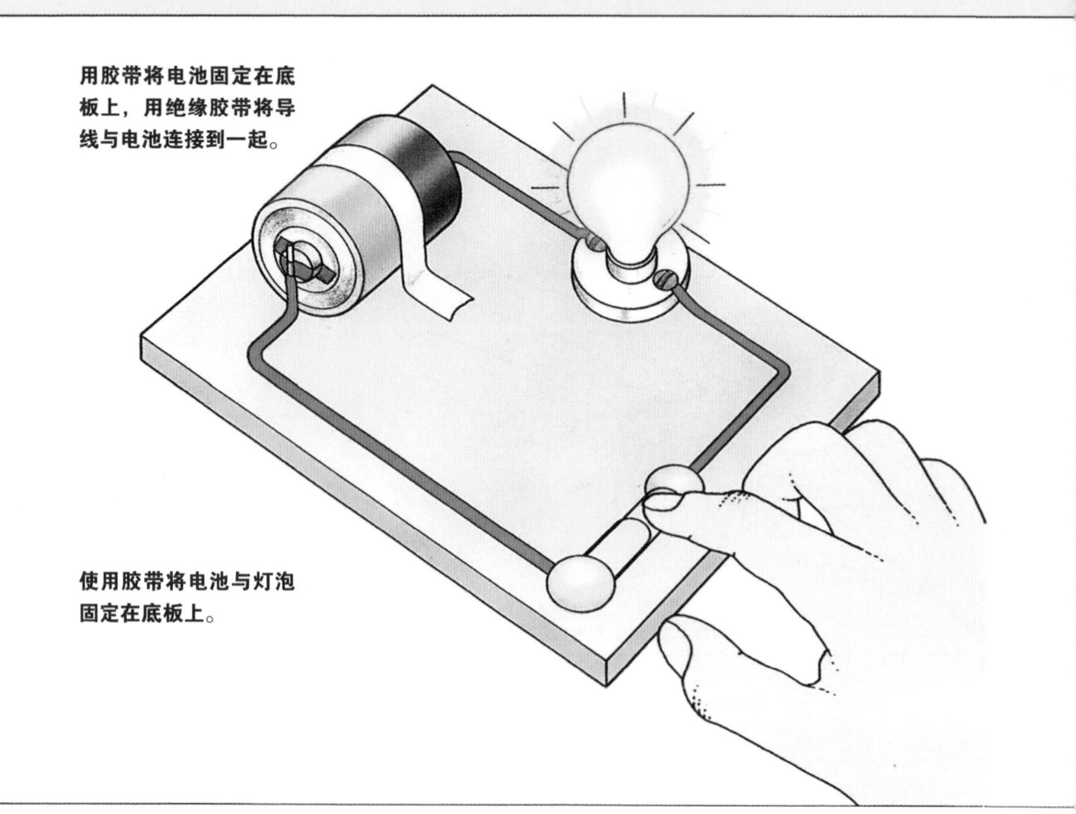

开关

开关的作用就是将电路断开。所有电器设备都必须配有开关，这样才可以保证在不使用它们时能够安全且方便地断开电源。当开关处于连接状态时，电路连通，电流沿着电路顺畅地传输。当开关处于断开状态时，在电路中出现一个断点。为了确保用电安全，这个断点必须足够大，否则在开关处会发生打火现象，如下图所示。

△看看你身边的电器设备，它们是不是都有一个电源开关？当开关处于断开状态时，电路中就出现了一个断点。电流无法通过空气来越过这个断点继续传输，此时电路安全断开。但如果断点过小，电路两端会时断时续地接通，并伴有打火现象，这是非常不安全的电路连接，应当极力避免。

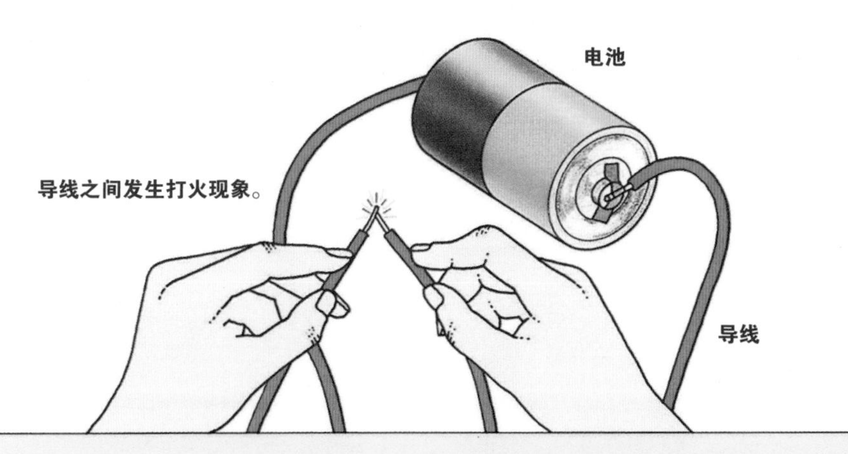

导线之间发生打火现象。

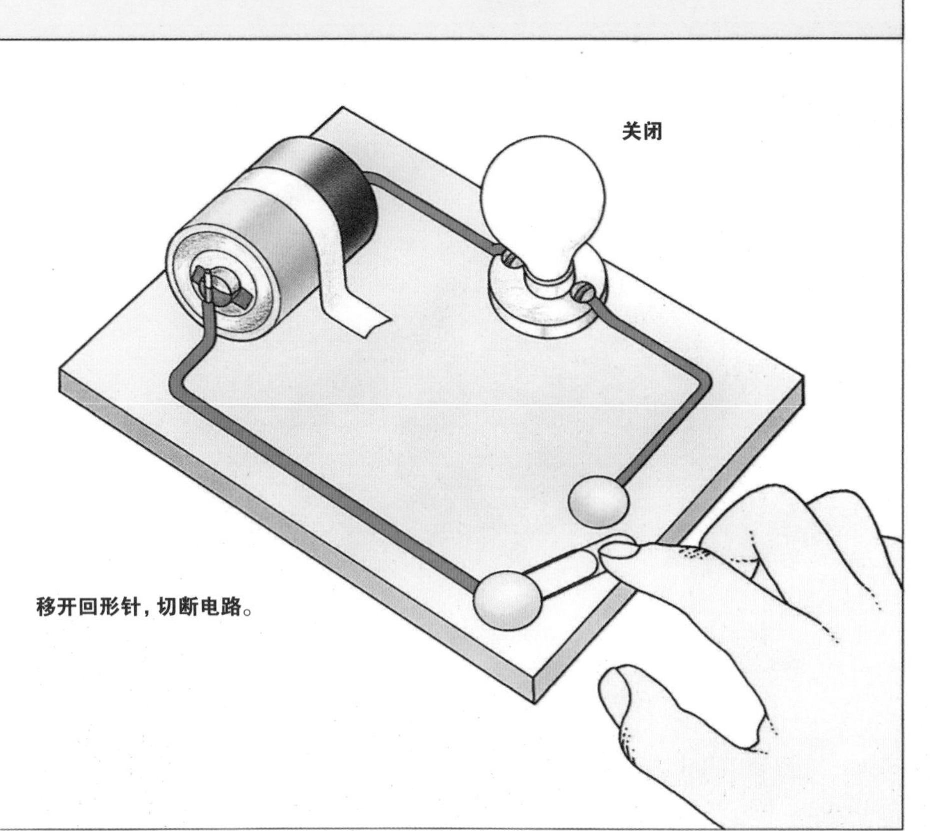

移开回形针，切断电路。

小问题

你能说出这段导线不能正常工作的原因吗？这种情况是非常危险的。你能说出它为什么有可能造成人员触电或引发火灾吗？如果你看到这样一段松开的导线，请立即告诉家长来修好它。

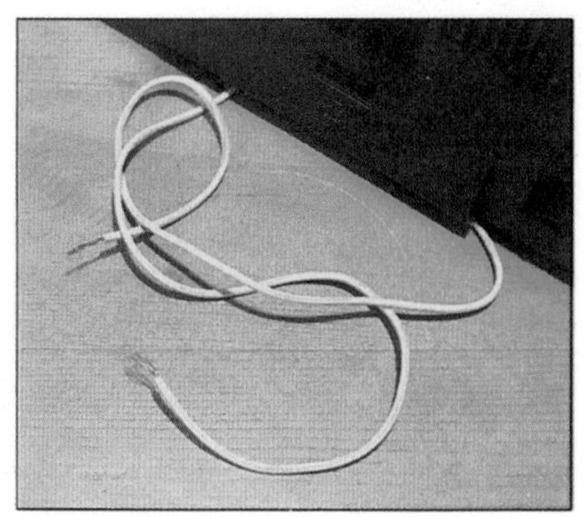

导体与绝缘体

某些物质的导电性能非常好，我们称之为导体。金属就是性能良好的导体。而有些物质会阻止电流通过，如木材和塑料，我们将这种物质统称为绝缘体。无论是导体还是绝缘体，在电路中都有特殊的用途。

△电缆的外层是一层可以阻止电流逸出的绝缘体。

导体

所有的金属物质都可以导电。其中导电性能最佳的是银，在计算机的电路中就使用了银作为导体，但银的价格很高；铜的导电性虽然不如银，但更为经济实用，所以大型电网都使用铜线作为电路的传输路线。水是一种导电性能较弱的物质——但你千万不要用湿手去接触电器设备，否则会有被电击的危险。随着科技的发展，“超导体”已被开发出来，这种物质在传输电流时不会产生高温。随着超导体的应用，我们的生活必然会发生巨大的改变。

▽铝也是一种良好的导体，它是芯片电路必选的材质。

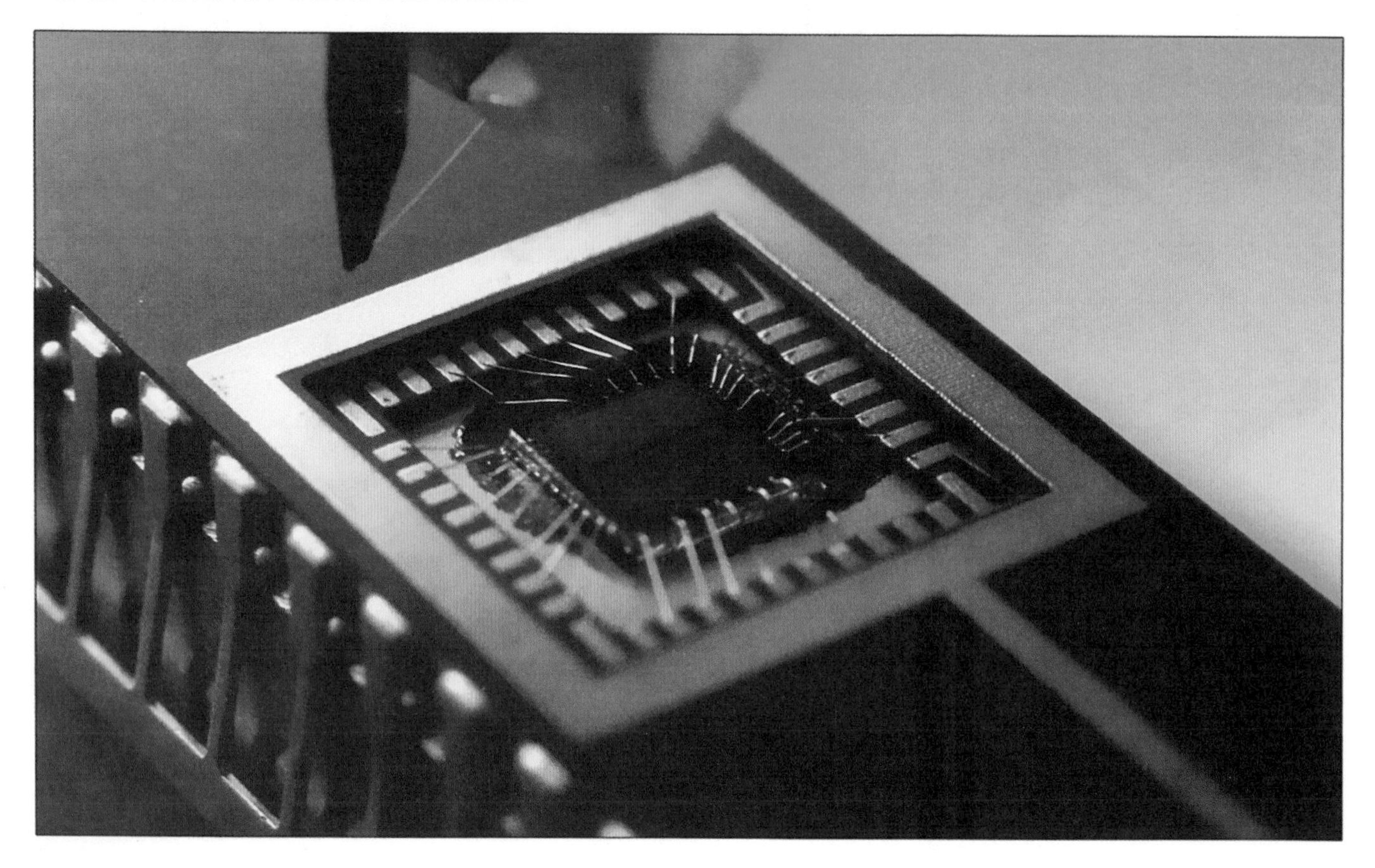

绝缘体

绝缘体可以阻止电流通过。空气是一种绝缘体，电流不能通过空气传输。家用电器中的线路都是经过绝缘处理的，它们被一层塑料包裹起来，既可以让你安全地使用电器，也可以防止发生短路。电源插头与插座也同样使用了塑料或橡胶材质的外壳，这样你就可以放心地使用它们了。陶瓷也是一种极佳的绝缘体，它不像塑料那样有韧性，但却适用于高温环境中，例如用在汽车的发动机中，以及用于包裹电烤箱的炉丝——这样，当你从烤箱中取出烤盘时就不用担心触电了。

△因塑料具有良好的柔韧性，所以一直是对导线做绝缘处理的极佳材料。但塑料不能承受高温，所以应避免在高温环境中使用它。绝缘层出现破损会导致严重的事故。

小实验

通过下面这个小实验，我们来找出哪些材料是导体，哪些材料是绝缘体。当两根导线的线芯直接接触时，灯泡会亮起。

现在，把它们分开并固定在磁盘上。你可以分别用一些不同材质的物品（如木棍、铅笔、橡皮、尺子等）连接两根线芯，如果灯泡亮了，那么就是导体，反之则是绝缘体。将两根导线同时插入一碗水中，看看水是不是一种良好的导体。

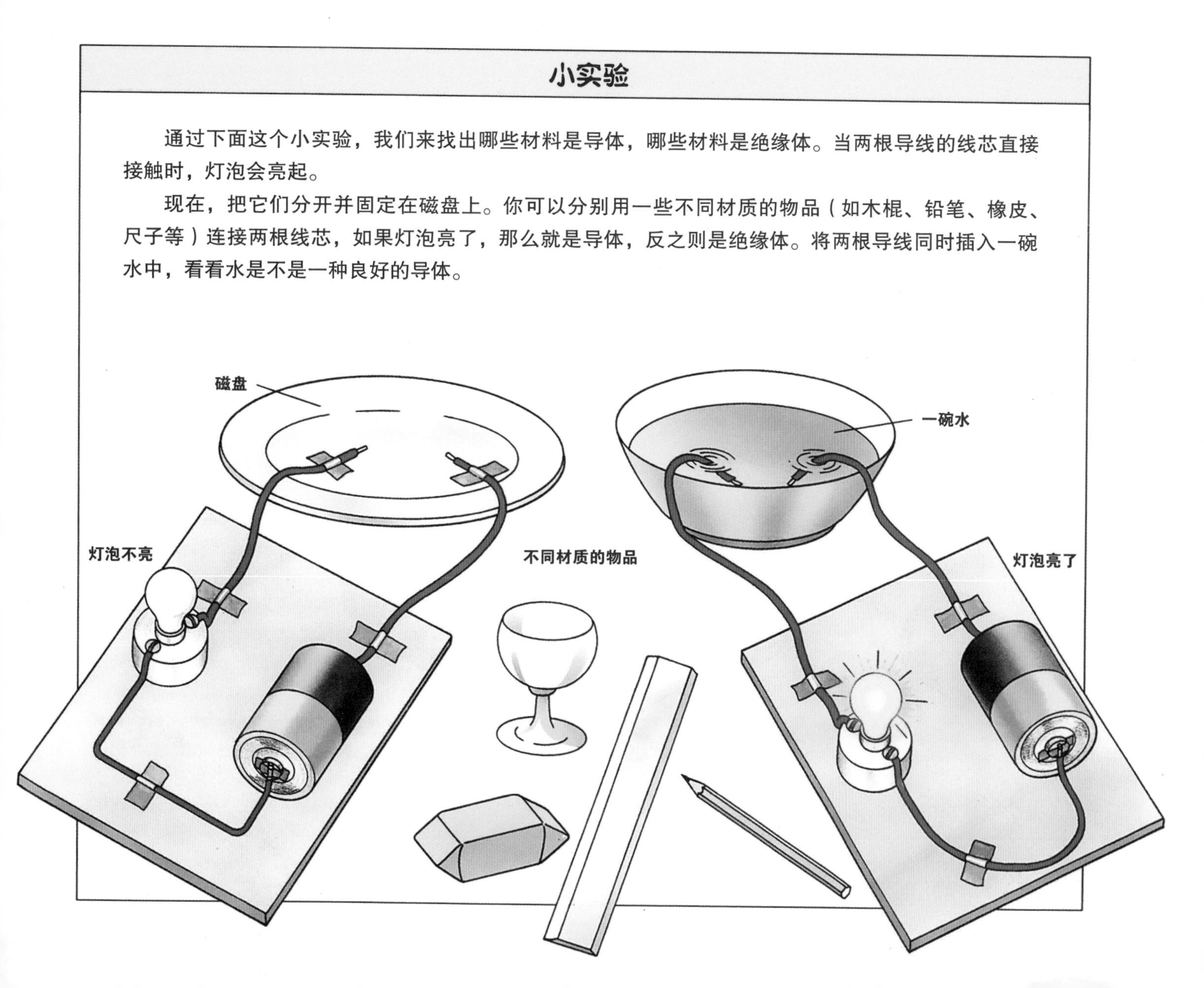

△经常在电路中使用到的电阻。

铜是一种良好的导体——电流几乎可以顺畅无阻地通过它。但与粗铜丝相比，细铜丝导电性能稍弱一些。而且导线越长，它对电流的阻碍作用越大。在电路中放入线圈或性能稍弱的导体，可以有效地减少通过的电流量。

电阻

粗导线的导电性能比细导线好——就像宽马路比窄马路走的车更多一样。所以，在电路中使用细导线可以起到阻碍与降低电流的作用，长导线也具有相同的效果。在下图中，我们用自行车打气筒来说明电阻的作用——当出气口被堵住时，你会感觉有一股阻力作用在手柄上，你必须用更大的力气才能将手柄推到底。如果电路中存在这样的阻力，那么你必须使用更多的电池才能让灯泡保持明亮的状态。

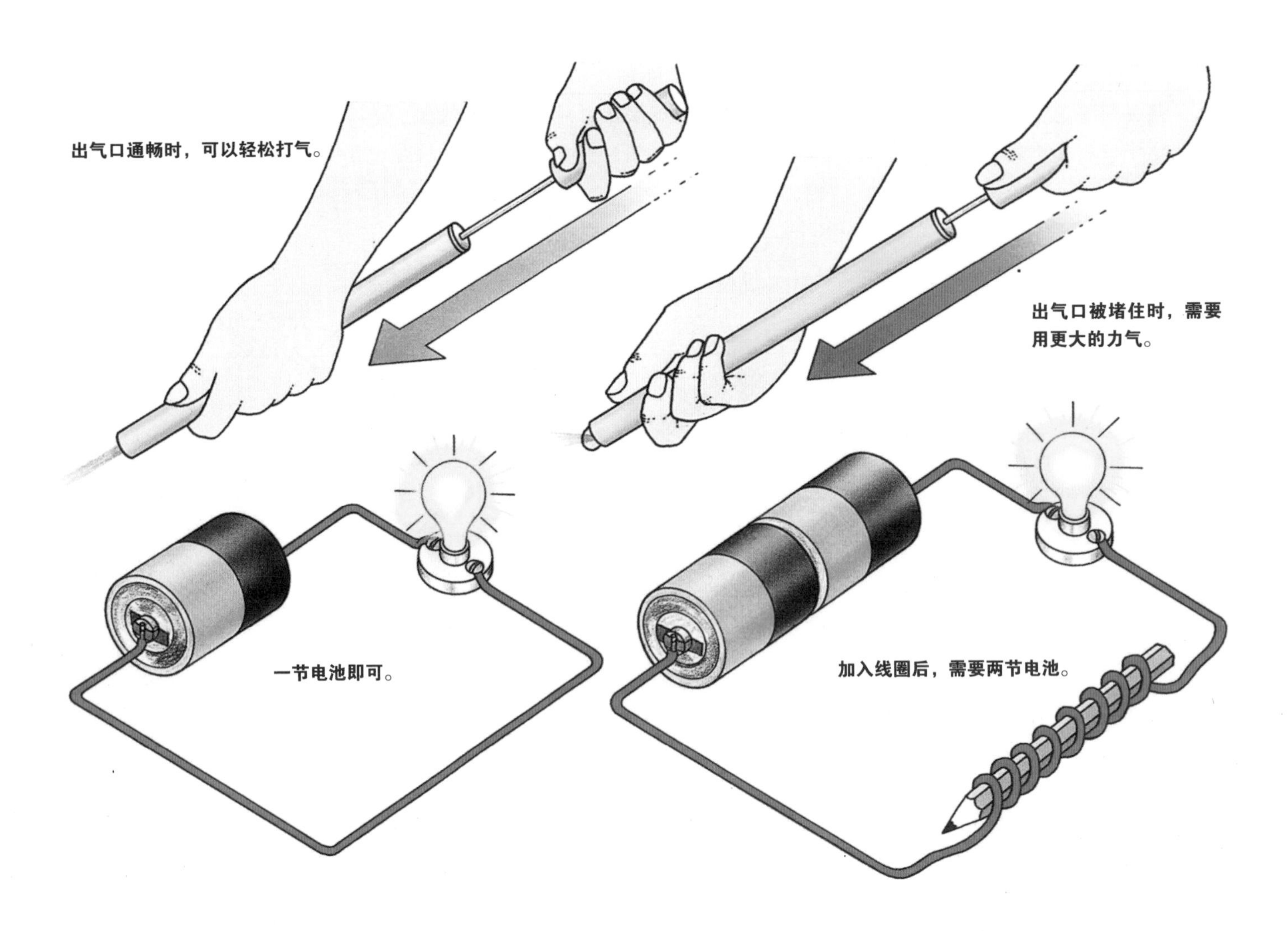

电阻的使用

每当你调整电视的音量大小时，实际上你是在调整电视电路中的电流大小。音量的调节旋钮与一个线圈电阻连在一起。当调大音量时，应用于电路中的线圈数量减少，通过的电流加大。玩具汽车的速度控制器也是相同的工作原理。当按下手柄时，阻碍电流经过的线圈数量减少，因此电阻降低，玩具汽车就会跑得更快。

△通过调整电流的大小，孩子们可以控制玩具车的速度。

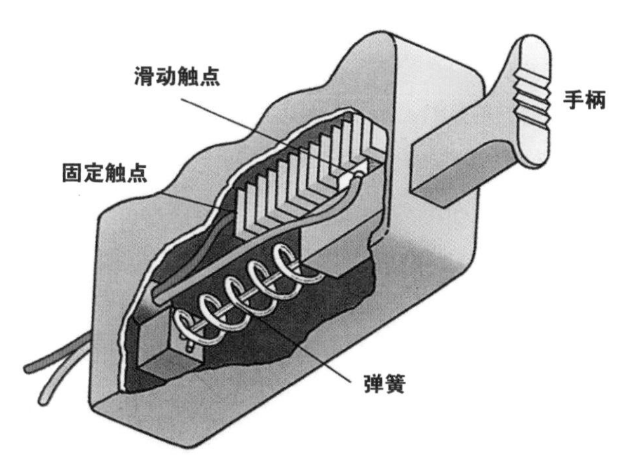

制作调光开关

我们来尝试制作一个调光器。你需要两节电池，将它们头尾相连后用胶带缠住，如图所示将两根导线分别连接到电池的两端。当你沿着线圈左右移动那根导线时，灯泡的亮光会随之变弱或变强。当连接到电路中的线圈数量增多时，电阻加大，电流减弱，灯泡的亮度降低。总之，电阻的大小取决于加入电路中的线圈的数量。

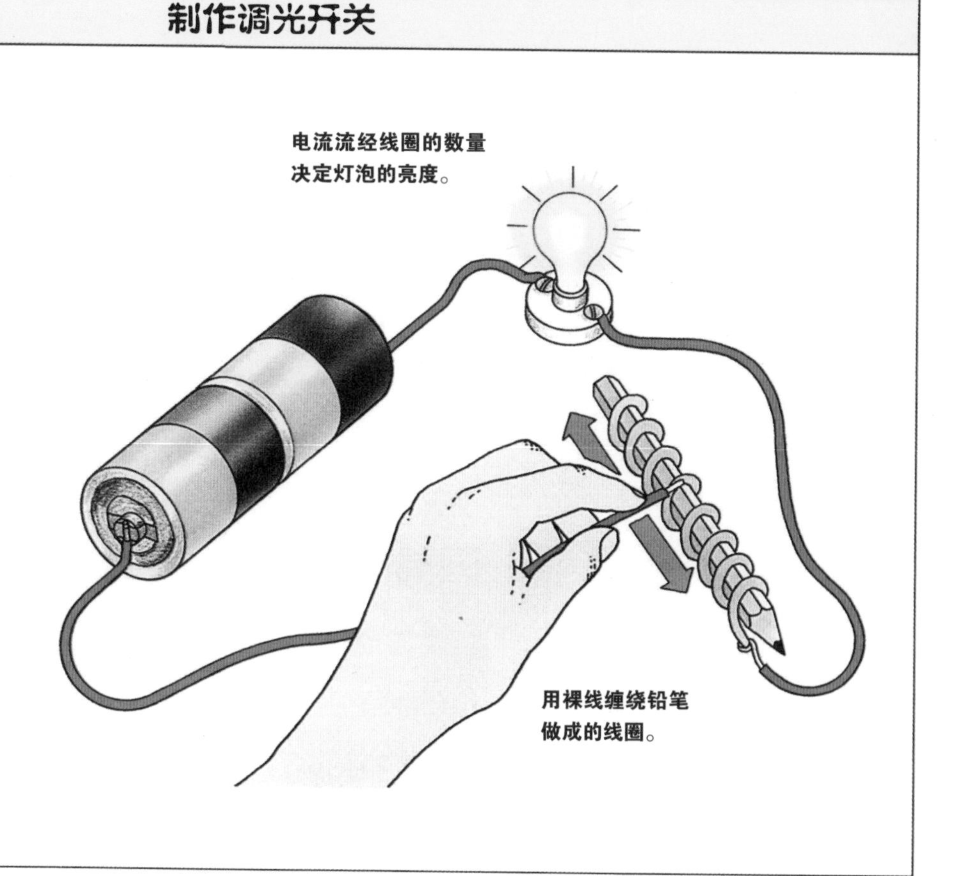

电能转换为热能与光能

△这个电暖器中的线圈使用了细导线。导线紧密地缠绕在一个绝缘体上。打开开关后，导线会产生热量并变成红色，后面的风扇将受热的空气吹出来，从而起到给空气加热的作用。

电能可以转换为热能与光能。当电源经过由细导线做成的线圈时，导线会产生热量，甚至可能发出光亮。在电烤箱、电暖气以及灯泡中都有由不同材质的导线做成的线圈，这些线圈在阻碍电流通过的同时会释放出热能与光能。

导线内部

下图显示了当电流经过一根细导线时，导线内部的情况。导线是由数十亿个微小的粒子组成的。原子由一个含有正电荷粒子的原子核以及若干个带有负电荷的电子组成。当电子按一定的顺序与方向移动时就产生了电流。与粗导线相比，细导线中的电子在运动时受到的阻碍作用更大。这种阻碍作用会产生热能，由于空间有限，在越细的导线中阻碍作用产生的热量就越大。很多使用细导线的电暖器在工作时甚至能发出光亮。

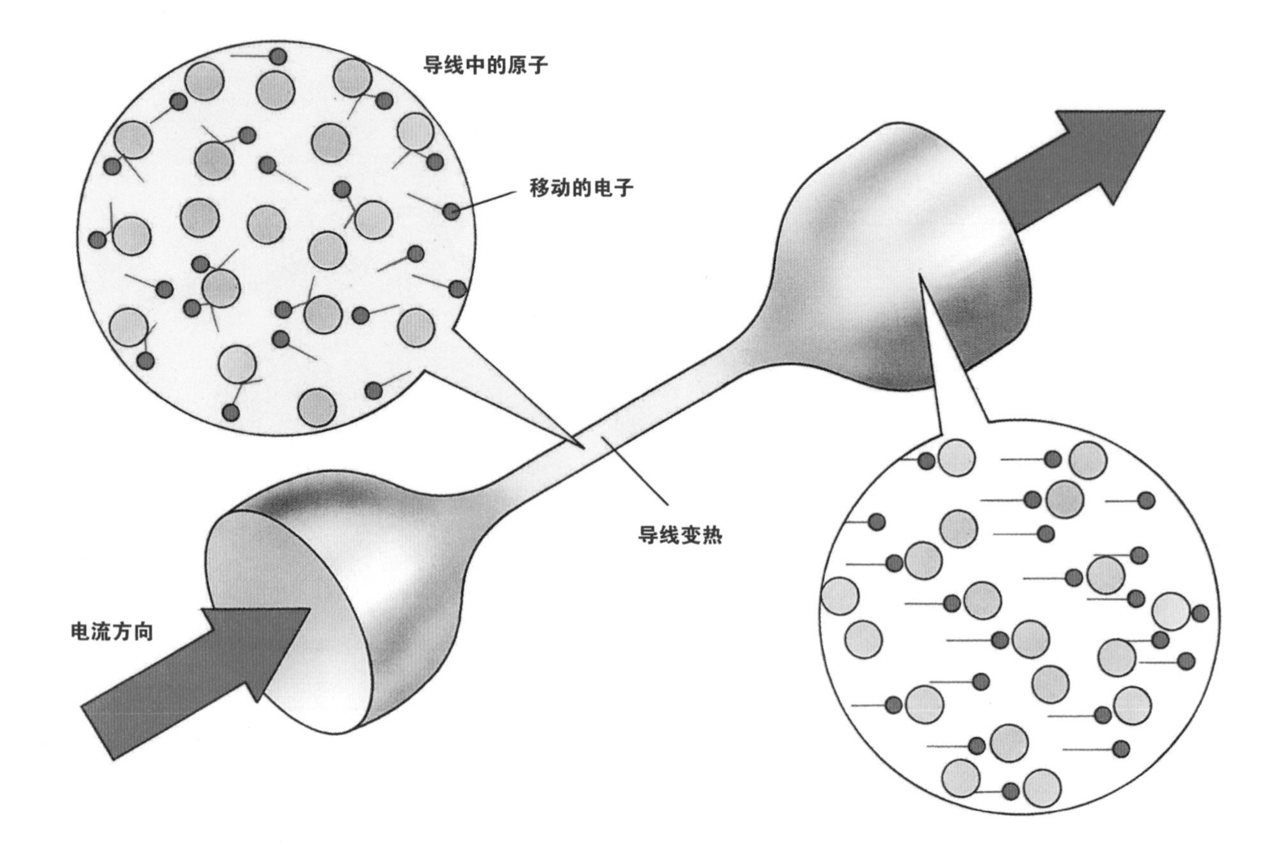

灯泡

电能的主要应用之一是提供人造光源。灯泡是最简单也是最常见的照明方式。当灯泡接入到正常供电的电路中后，它的灯丝发出耀眼的光芒。灯丝是一段非常细的钨丝。当电流经过灯丝时，灯丝发出白色的光，同时产生最高可达 2700℃的高温。灯丝由金属架支撑起来，防止它与灯泡壁发生接触。温度过高时，灯丝在空气中很容易烧断，因此为延长灯泡的使用寿命，人们在灯泡内充入了氩气。灯丝能承受的电流越大，它就越明亮。灯泡是易碎品，应轻拿轻放。

△灯丝的放大照。在有电流通过时，灯丝发出光亮。

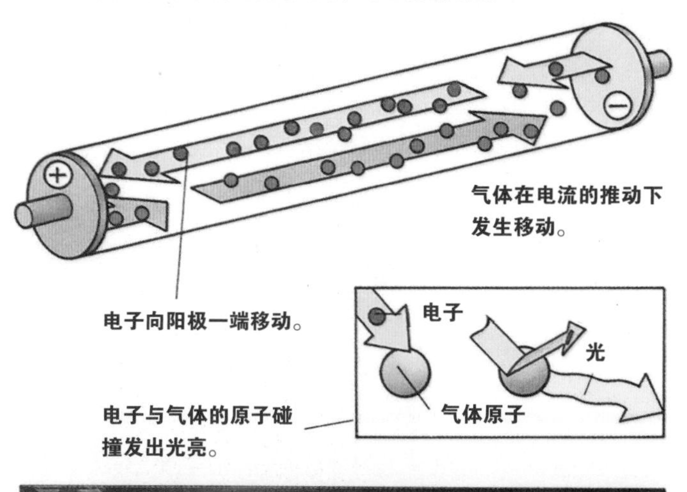

霓虹灯

并非所有的光源都要使用灯丝。右图中是商家常用的霓虹灯，它们没有灯丝，而是一根根充满了氖气的玻璃管，当电流通过这些玻璃管时就可以发出光亮来，此时电能也能转换为光能。在玻璃管中充入不同的气体，可产生不同的颜色效果，例如充入氖气后可产生红光，钠气产生黄光，汞气产生蓝光。在室内一般不会用色彩艳丽的光源，使用得更多的是荧光灯。在荧光灯内同样没有灯丝，当电流通过玻璃管时，气体原子会快速移动起来，当它们停止移动并达到一种均衡状态时即释放出白色的光。

▷霓虹灯是商业中心的重要标志。在玻璃管内充入不同的气体会发出不同颜色的光亮。

电路的种类

单节电池可以给一个以上的灯泡供电，一个灯泡也可以由多节电池组成的电源供电。通过不同的电路连接方法，可以构成有多个组成部分的复杂电路。灯泡与电池的连接方式对灯泡的亮度与电池的可使用时间具有较大影响。简单地讲，电路的连接方式可以分为串连与并连两种。在实际使用时，应根据电路的用途来选择其连接方式。

串连与并连

串连电路是连接两个灯泡最简单的方法。这意味着电流在经过第一个灯泡后才会到达第二个灯泡，通过每个灯泡的电流是相同的，电路中串连的灯泡数量越多，每个灯泡发出的光就越昏暗。但是在并连电路中，就不会因为灯泡数量的增多而降低每个灯泡的亮度。在串连电路中，如果一个灯泡损坏不亮了，其他的灯泡也会熄灭，而在并连电路中就不会发生这种情况。即使某个灯泡损坏了，电流仍然会通过其他路径输送到其他灯泡中。

◁ **圣诞树上的彩灯通常采用的都是串连电路。如果有一个灯泡不亮了，那么一整串的灯就都不亮了。并连电路则不会出现这种情况。**

制作一个双控开关

双控开关是非常有用的，它可以让你在两个不同的地点控制同一盏电灯的亮与灭。右侧是一个简单的双控开关示意图，当回形针接触或离断任意一对开关时，都可以使灯泡点亮或熄灭。在实际应用中，两条线路之间的空间一定要大一些。双控开关通常安装在楼梯上下或是长廊的两端，它对于用电安全有着重要的作用。

下面这两张图显示了连接两个灯泡的两种方式。串连电路中灯泡的亮度没有并连电路中的高，但并连电路中的电池使用寿命会更短一些，因为它输出的电流更多。

与使用一节电池相比，在串连电路中使用两节电池会让灯泡更亮一些。而在并连电路中增加电池，并不会使灯泡更亮，但会让它亮得更长久一些。你可以自己来制作这样的电路来测试一下它们的不同点。

串连

并连

串连

并连

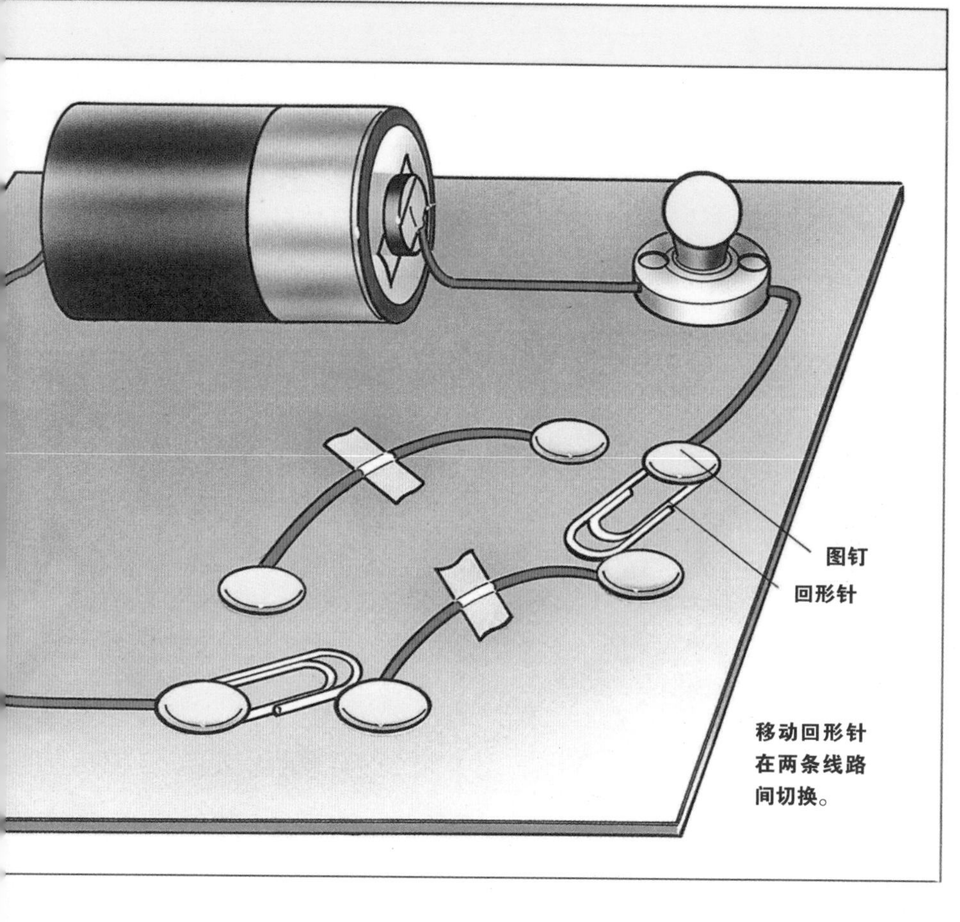

小问题

假设这棵圣诞树上的彩灯采用的是串连模式。如果你取出一个灯泡会发生什么情况？你能说出其中的原因吗？如果彩灯是并连的，会发生相同的情况吗？

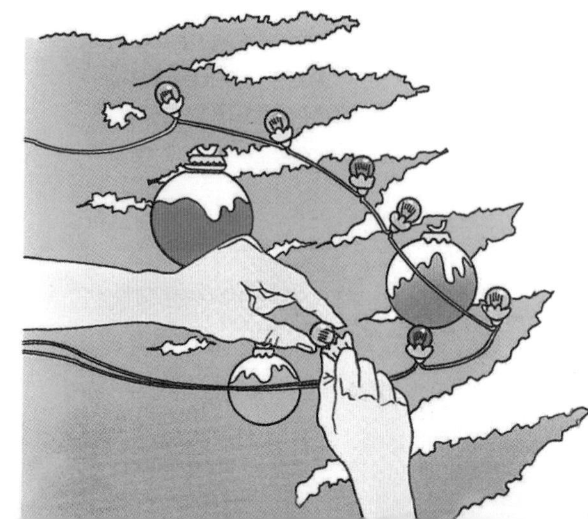

△电磁铁的用途很广泛。由于它们对金属具有吸力，所以常用于从杂物中分离出金属物质。

你可以利用电流来制作一块电磁铁。当电流通过一个缠绕在铁芯周围的线圈时，这个铁芯会变成一块“电磁铁”。与普通磁铁相同，电磁铁可以吸引某些特定的金属。在很多电路中都会用到电磁铁。

电磁铁的工作原理

磁铁拥有吸引某些金属的特殊能力。如果让电流环绕一个普通的铁块流动，那么这个铁块也同样会具有磁铁的引力。我们称之为“电磁铁”。但电磁铁并不是永久磁铁，当电流消失后，它就不再有磁铁的“魔力”了。在垃圾处理场中常会用到大型的电磁铁，工人们使用它来提起与移动重物。在电话、音响、门铃这样的家用电器中也有很多超小型的电磁铁，它们是这些设备能发出声音的关键部件。

制作一块电磁铁

制作一块电磁铁并不是一件很难的事情，你只需要一段导线、一节电池和一根铁钉就够了。将导线缠绕在铁钉上，在缠绕导线时注意间隔要均匀，并与铁钉紧密接触。缠绕的圈数越多，磁铁的引力越大。将导线的两端连接到一节电池上，同时应加入一个开关，以便控制电流。当开关闭合时，你的这块电磁铁可以吸起回形针这样的金属物品。当开关断开时，磁力消失，它所吸起的物品也会掉落下来。

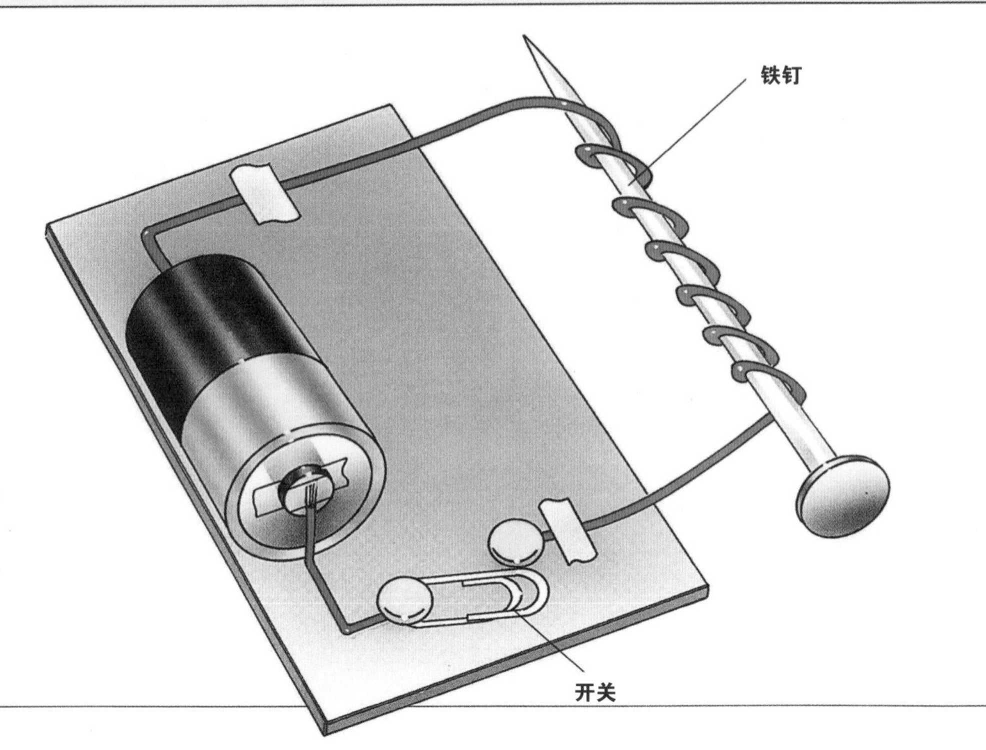

电铃的工作原理

下图是电铃的电路示意图。当按下开关接通电源时，绕有线圈的铁芯变成电磁铁，吸引小铁锤向它靠近并最终敲击铃体。这时电路断开，电磁铁的磁性消失，小铁锤复位。复位后电路再次被连通，如此重复不断，电铃便发出了连续击打的声音。只有松开手指，开关弹起，电路断开，铃声才会消失。

△按下开关后，电铃声持续响起。松开手指，开关弹起，电路断开，铃声消失。

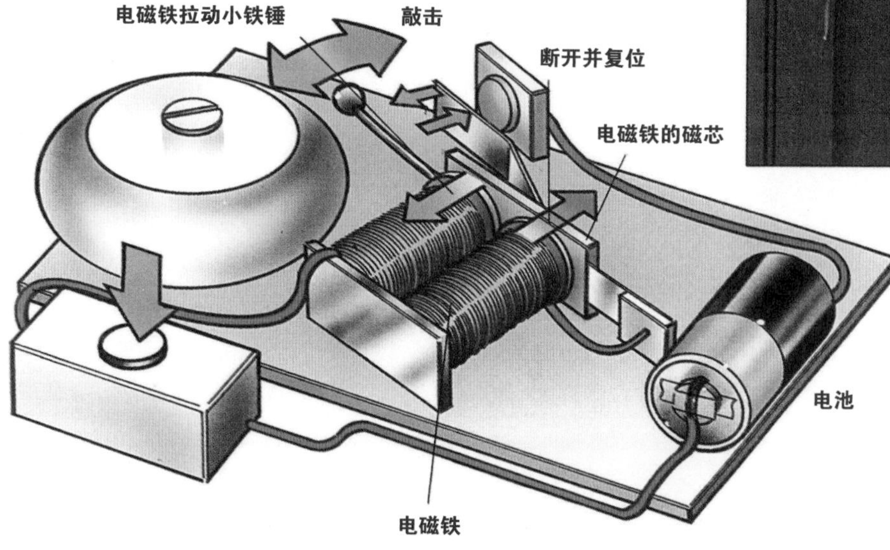

开

关

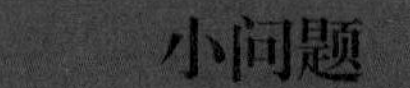

你能想象出使用电磁铁的其他家用电器是怎么发出声音的吗？电话机中的振动膜片实际上是一个由电磁铁制成的金属薄片。

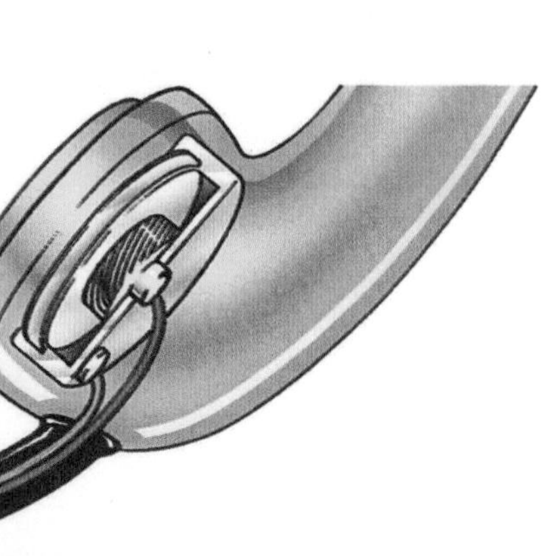

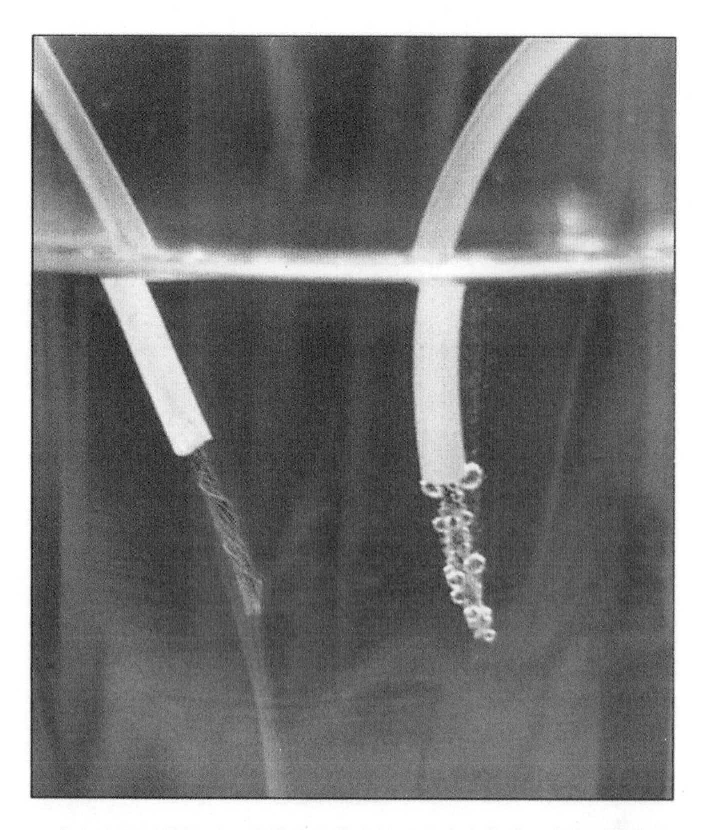

△当电流通过液体时，液体中的带电粒子会产生移动。金属元素积聚在阴极一端时，阳极一端会出现气泡。

电池中的化学物质相互反应产生电流。反过来，电流也会引起化学反应，将某一种化学物质分解为多种其他物质，这个过程称为“电解”，它的主要应用之一是对金属物质进行分解、提纯。

电解的作用

电解是一种使用电流分解液体中化学物质的方法。某些液体是由带有正电的粒子与带有负电的粒子构成的。例如，当盐（氯化钠）溶于水中后，它会分解出带有正电荷的钠离子与带有负电荷的氯离子。如果将两根导线的一端分别连在一节电池的阳极与阴极上，再把两根导线的另一端插入盐水中，氯离子会积聚在电池的阳极一端，钠离子会积聚在电池的阴极一端。

提取金属元素

铝是一种非常重要的金属，它是制作炒锅与电缆的主要材料。但在自然界中，铝是一种不能单独存在的物质，其原始形态存在于铝土矿中，而铝土矿是铝、氧及其他元素的化合物。我们需要使用电解的方法才能获得纯铝材料。在进行电解操作时，将熔融氧化铝（铝与氧的化合物）倒入一个容器中，此时氧带有负电荷，而铝带有正电荷。在接通电流后，氧在阳极一端产生气体泡沫，而铝则在阴极一端积聚，此时将铝从容器中取出即可。

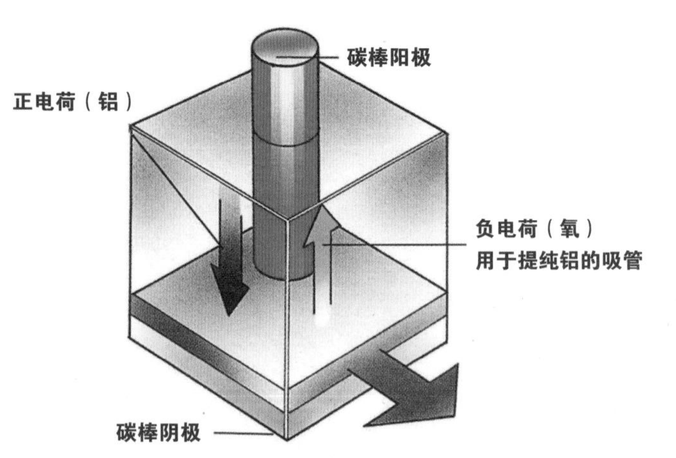

△电解铝是软包装的常用材料。

电镀

银首饰和银餐具往往不是纯银的，而是在其表面镀了一层银。镀银其实就是一种电解过程。下图显示了如何在一种金属外层涂上另一种金属。将要镀银的金属物体连接到电流的负极上，然后浸入到含有银离子的液体中。在接通电源后，银会积聚并布满金属表面。除了镀银之外，还可以使用此方法在物体表面涂上其他金属，例如，在铁钉表面镀上一层锌，可以有效防止铁钉氧化生锈。

△电解镀银操作过程。

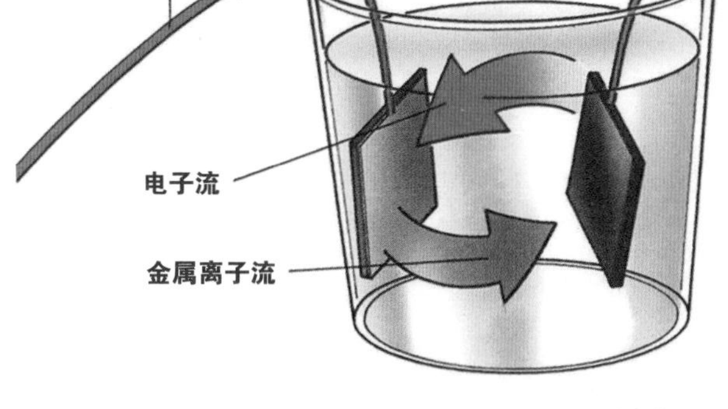

镀铜

你可以通过一个小实验来为铁钉或铁片镀上一层铜。将一枚铜币连接到电池的阳极端，将铁钉或铁片连接到电池的阴极端。将它们同时浸入到硫酸铜溶液中。铜币释放出氧气并形成气泡，而铜币中的正电荷离子会脱离铜币，并附着到铁钉或铁片上，形成一层淡淡的黄铜色外层。

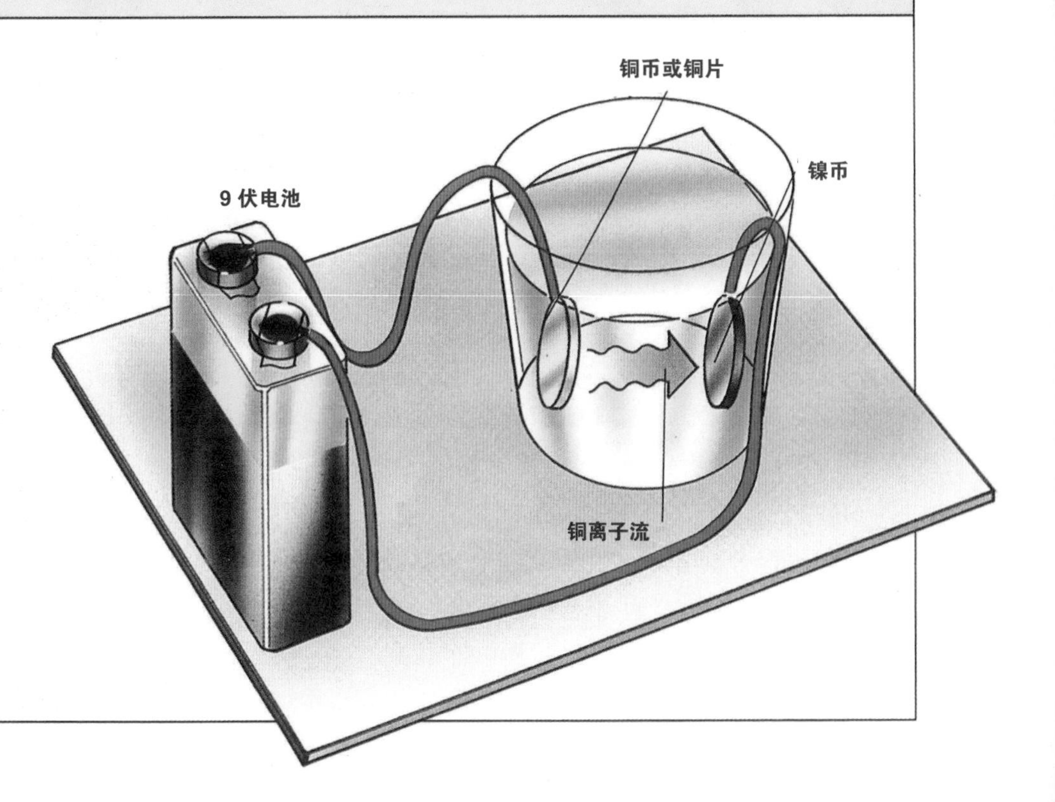

磁铁的磁力可以吸引或推动带电粒子向某一个方向移动从而形成电流。当电流经过一段导线时，磁铁可以使整根导线发生移动，这正是电机的工作原理。电机使用电流与磁铁产生动力。

△接通电源后，线圈轴芯就会旋转起来。电机是很多电器设备的核心部件。

电机的工作原理

下图显示了电机的工作原理。在电机工作时，电流会通过电机的线圈。线圈的轴芯是一块磁铁，正是它推动线圈转动起来的。图中的电池与方形线圈连接到一起。当有电流通过时，一个线圈向上移动，另一个线圈向下移动，这个动作不断重复从而使它们旋转起来。线圈的转动带动电机的轴芯也转动了起来。我们做蛋糕时会用到电动搅拌机，它就是电机的一个应用实例。

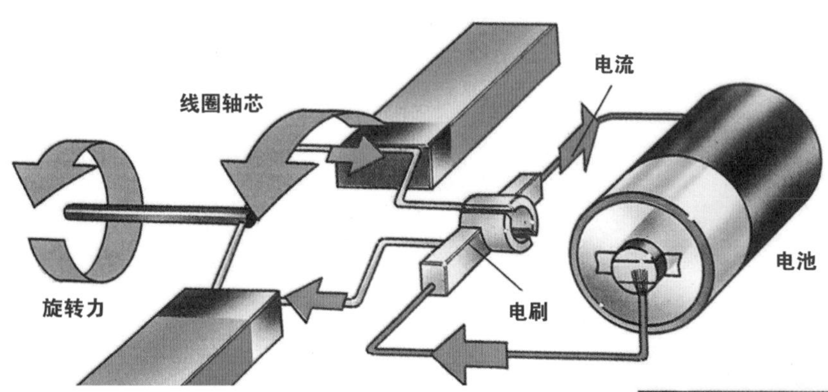

▽自行车灯带有一个小型的发电机。当你骑上自行车时，车轮的转动使发电机线圈中的磁铁也转动起来，从而产生为灯泡供电的电流。

发电机

我们可以简单地把发电机理解为电机原理的反向应用。在电机中，电能转换为使轴芯转动起来的动能，而发电机是将动能转换为电能，产生电流，它通过转动线圈中的磁铁来实现这个功能，这正好与电机相反。根据不同的需求，发电机的大小各异，但基本原理相同。

电机的应用

电机将电能转换为动能，它的应用非常广泛。电机在家用电器中扮演着重要角色：在洗衣机中搅动水流与衣物，在玩具车中驱动车轮转动。同样，在大型设备中电机的出镜率也相当高：在地铁与自动扶梯中电机都是不可或缺的。相信你还能找出很多这样的例子来。所有电机都有一个共同点：它们只能做旋转运动。随着科学的进步与发展，电机的应用越来越广泛，电动汽车是一种新兴的科技，它利用电机替代传统的汽油引擎，既为人们的出行带来方便，又能起到保护环境的作用。

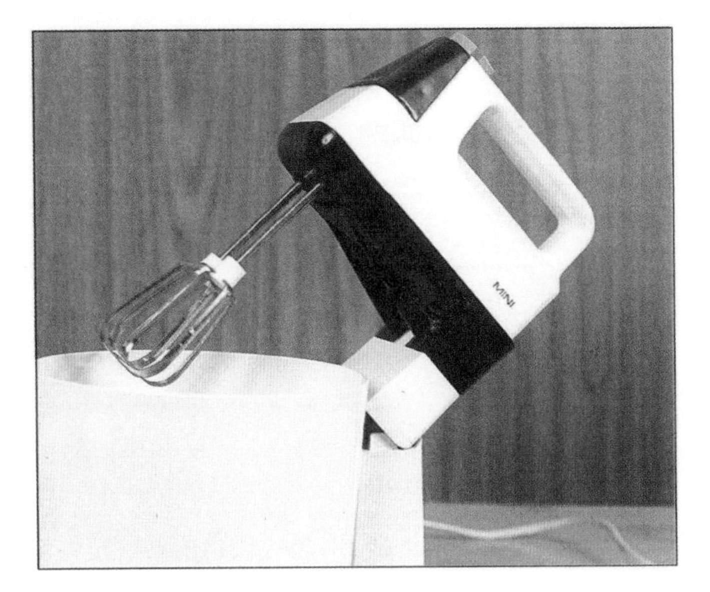

△打蛋器的搅拌棒部分是由电机驱动的。

模拟电机的工作过程

通过这个装置，你可以看到电流与磁铁相互作用的结果。将两块小型磁铁、几根导线、胶带、橡皮泥以及一节电池按图所示连接好。在接通电源后，你会看到轴芯不断地发生颤动——这是因为它受到了磁铁的引力。你肯定很奇怪为什么它没有像电机的轴芯那样高速地转动起来？这是因为在这个电路中，电流始终在向同一个方向传输，而在电机中，电流的传输方向是不断变化的。

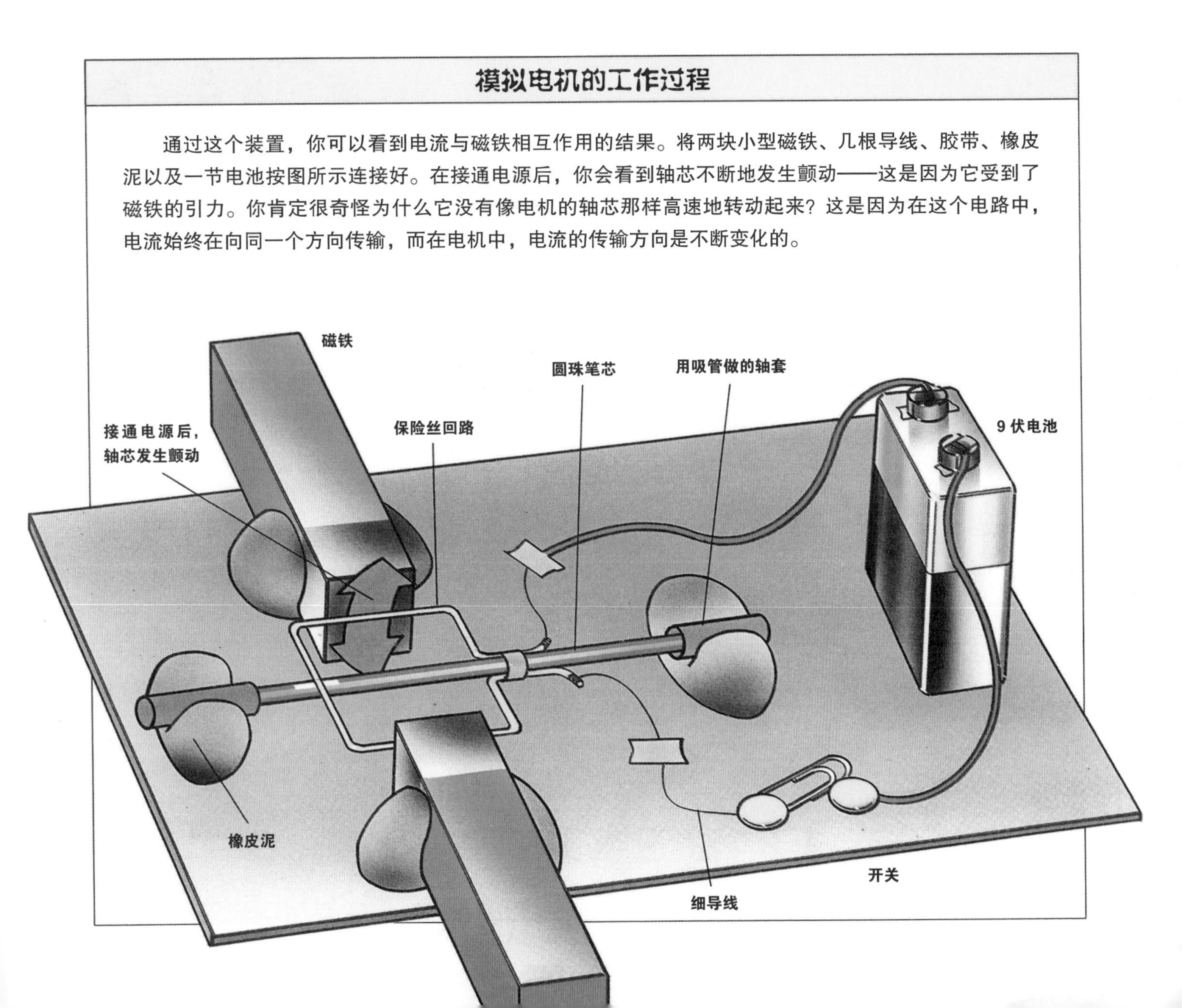

你已经了解了在电机中电能是如何转换为动能的，以及如何将动能转换为电能。在大型的输电网络中，发电机通过高速旋转线圈内的磁铁来产生电能。

发电

在下图中显示了一个风车的转动件是如何产生出足以点亮一个灯泡的电流的。发电机是电机原理的反向应用。当风车转动时，它带动线圈在两块磁铁之间旋转，此时便产生了电流并让灯泡亮起来。自行车灯的电源即来自于此——车轮带动线圈转动。大型输电网络中的发电机也是这样工作的，但有所不同的是，发电站里发电机的磁铁是在线圈内转动的，这种方式可以产生巨大的电流，足以满足千家万户的用电需求。

▽风车带动线圈旋转。

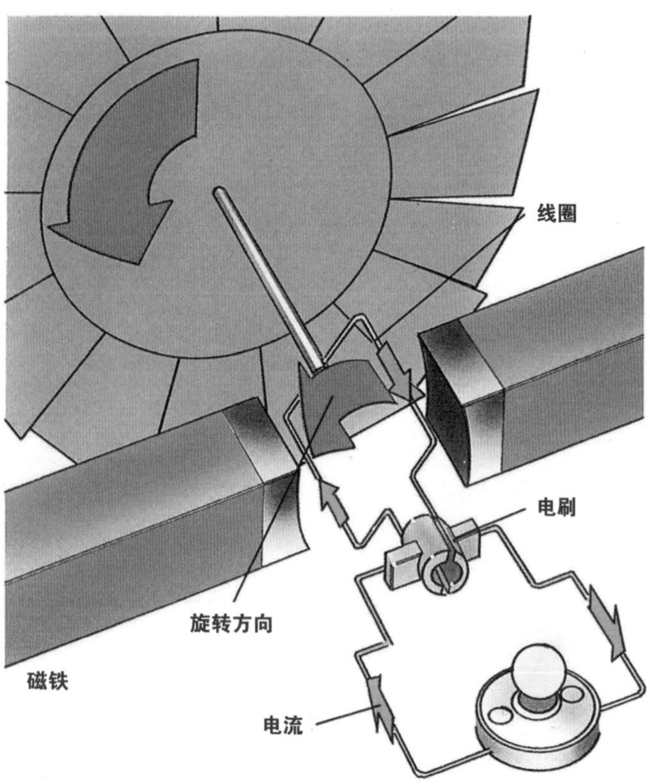

发电站

发电站产生的电能可以用作生活用电与工业用电。巨大的涡轮机就像是一个超大型的转轮或风扇，它带动磁铁在线圈内部转动产生电流。水蒸气或河流驱动涡轮机转动。当使用水蒸气时，需要使用煤炭或石油对水进行加热使之沸腾，产生出水蒸气带动涡轮机旋转。当然，也可以通过核反应作为涡轮机的动力来源。电源一旦形成，则必须立即通过输电网络传输到需要它的地方。下图显示了涡轮机的工作原理。

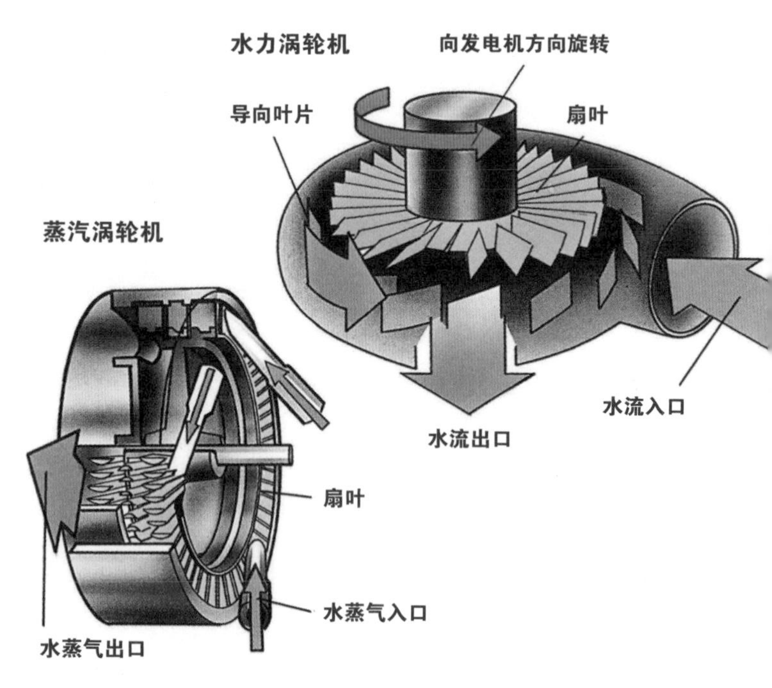

▽堤坝通过水位差让水流带动涡轮机运转起来。

输电网络

电流通过粗粗的电缆从发电站传向四面八方。有些电缆被埋入地下，另一些则被用输电塔架在远离地面的高处。这些电缆及输电塔将一个地区内的各个大型发电站连接在一起，形成了结构复杂的输电网络。右图显示了电流从发电站到你所在的城市之间要经过的各个环节与线路。为了将电流传输到更远的地方，发电站输出的都是高压电。因此，为了方便居民的日常生活用电，在电流入户之前要在变电站经变压器调低它的电压。输电网络的另一个作用，是在需要的时候对电流进行调剂，将一个地区的电流输送到另一个地区去。这样，当某一个发电站发生故障时，来自其他地区的电流能及时沿着网络传输过来，维持该地区的供电，减少发生断电的机会，降低因断电造成的经济损失。

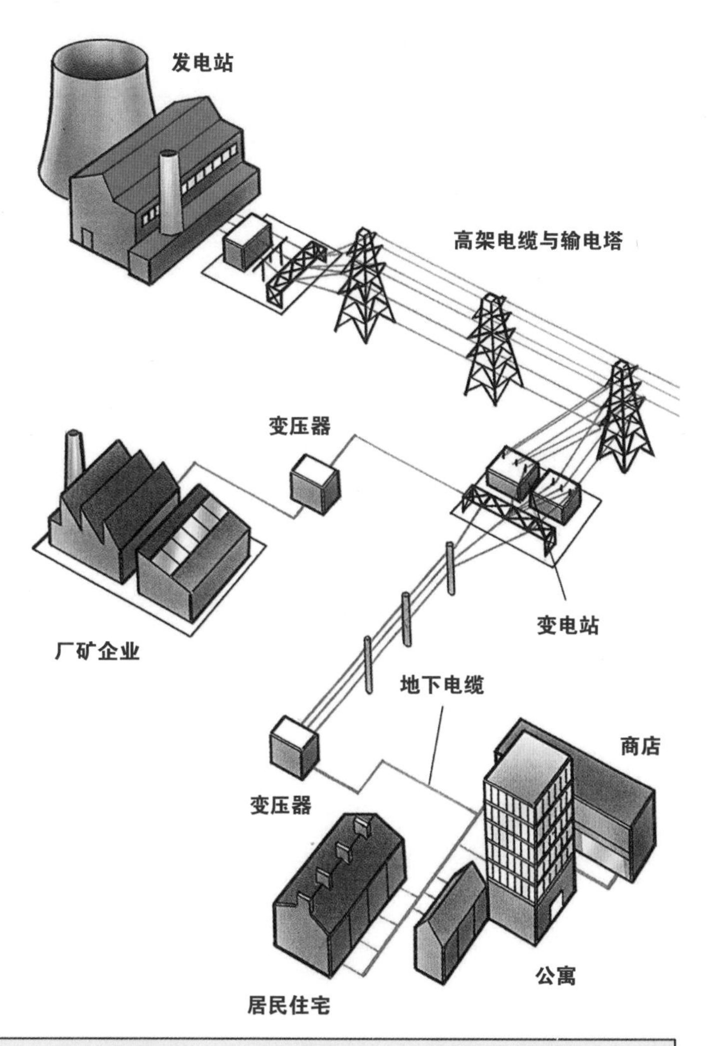

小实验——电机发电

通过这个实验，你能够了解电机与发电机之间的关系。找两个用在玩具汽车上的电机，将其中一个与电池连接在一起，然后将两个电机的轴芯用胶带捆在一起，注意暂时不要接通电源。第二个电机需要与一枚灯泡连接起来。在接通电源后，第一个电机会带动第二个电机一起转起来，这时第二个电机就像是一个迷你发电机，它产生的电源会让灯泡发出亮光。

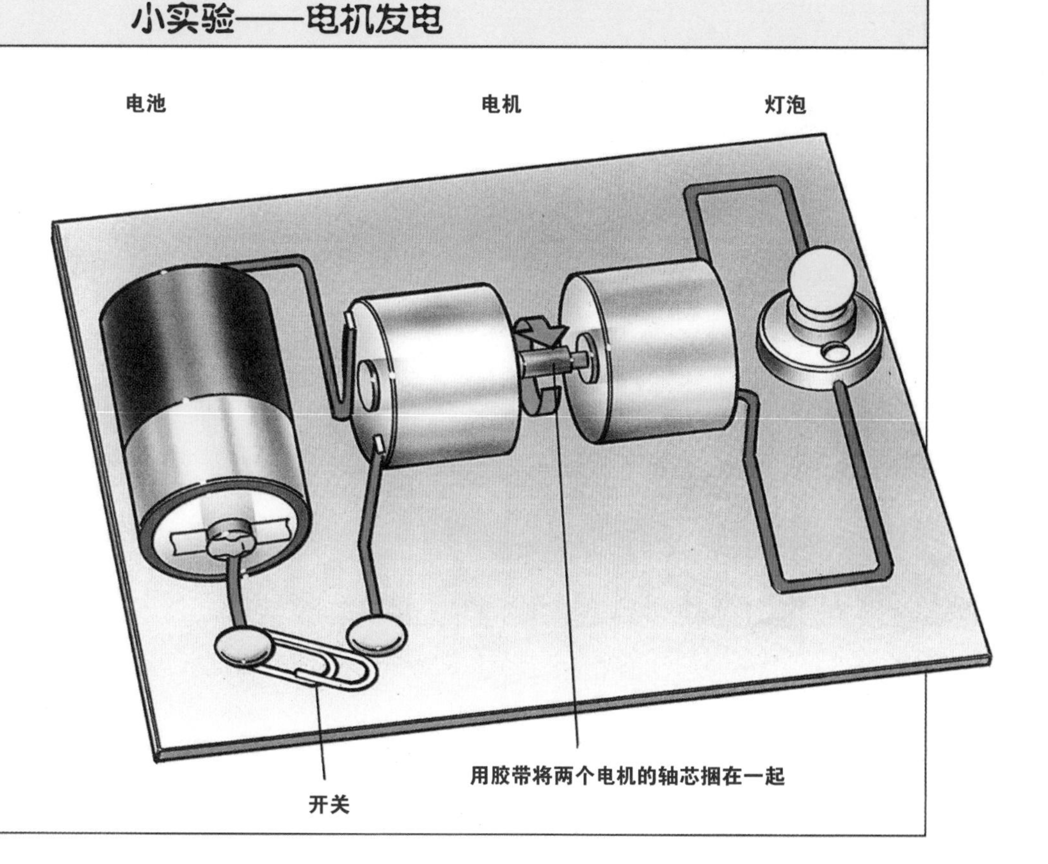

在日常生活中，我们需要在很多地方使用电源，像电灯、电视、洗衣机以及其他家用电器都离不开电。居民用电主要分为两大类——照明用电与电器用电。家用电器的电源线通过插座与用电线路相连。

家用电器

家用电器为你的生活带来各种便利。在你的家中肯定有不少这样的设备。它们或是将电能转换为光能或热能，或是带动电机运转，抑或播放出美妙的音乐。不同的家用电器需要的电流量是不同的，像烤箱这样产生热量的设备肯定要比一台电视机的用电量更大一些。虽然用途不尽相同，但它们都会有一根电源线，可以连上家中的电路。

△如果没有电，我们的生活质量会倒退到百年以前。上图中的所用电器设备都需要用到电才能正常工作。

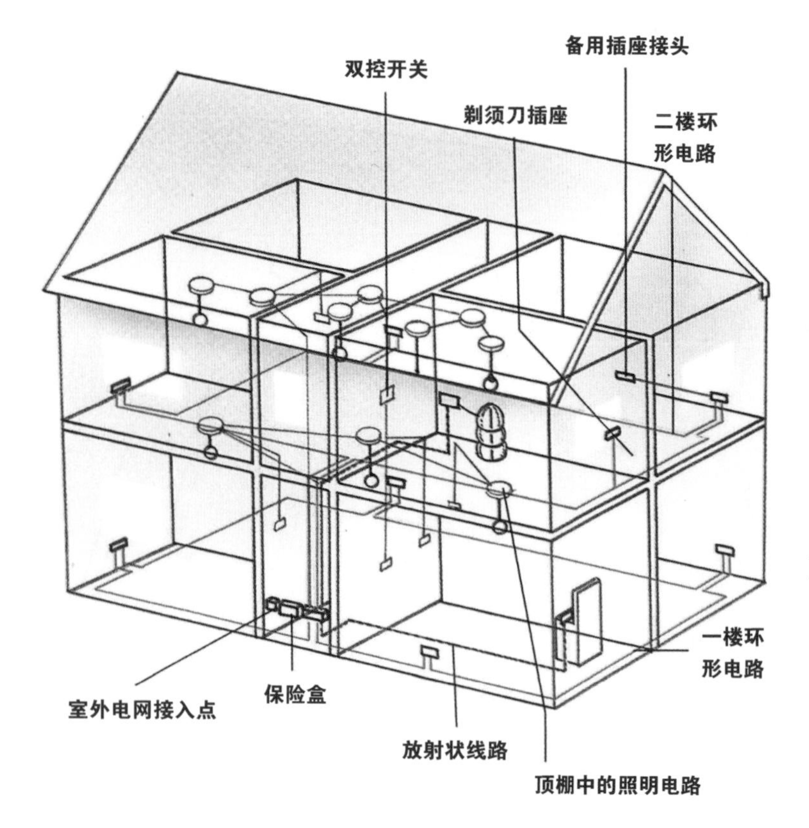

室内布线

左图显示的是一个典型的室内电路布线图。电流由一根电线输入到室内，在它分为照明用电与电器用电两条线路之前，还要经过一个保险盒。照明用电为室内的电灯供电；电器用电则形成了另一个独立的环形供电线路。室内线路一般都要被嵌入到墙内或埋入地板下。每个房间内都会预留出若干个插座，以方便家用电器接通电源。电流通过另一根与主电网连接的电线离开房子。电表是用来计量用电量的一种精密仪器，它实际是一个带有计量装置的小型电机。电表上的仪表盘用于显示已用电量。月底或月初的时候，供电公司会根据电表的读数向居民收取电费。很多国家鼓励居民在夜间用电，因为此时整个供电网络用电量需求相对较低，此时的电价也便宜些。

插头与保险

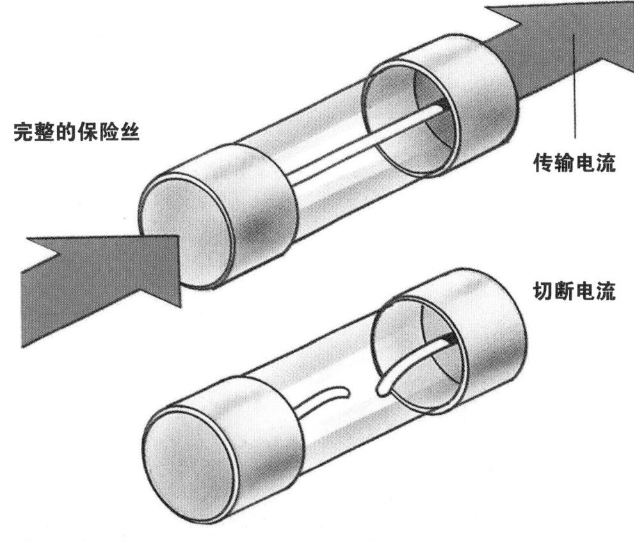

电源插头是将电器设备与供电网络的插座相连接的装置。在插头中，有一根有棕色绝缘外皮的火线（带电的导线），以及一根有蓝色绝缘外皮的零线。前者的作用是将供电网络中的电流输入到电器设备，后者则将电流从电器设备引回到供电网络中。有些国家使用的部分插头中还有一根地线。在正常情况下，地线是不带电的，它仅在必要时起到安全保护作用——当电器设备意外漏电时，地线将电流引入到地下，从而避免人员受到电击。

在一些插头以及绝大部分电路中都会有一根保险丝，它实际上是一根稍细一些的导线。当有超过电路容量的电流意外流进电路时，保险丝会立即熔断，从而在电器设备遭到损坏之前切断电路。保险丝可以安装在电器的插头中，也可以装在室内电路的保险盒中。它是非常重要的安全保护装置。右图显示了保险丝在正常与熔断时的状态与作用。

小问题

电的用途非常广泛，它可以带来光明，让我们的出行更方便，让我们听到动听的音乐，还可以用来冷藏或加热食物。右图是几种常见的电器设备，它们都需要用到电，但各自的作用却大相径庭。你能说出它们都是些什么电器吗？再想想还有哪些设备中的循环转动的动作是由电机带动的？电力在一台洗衣机中会表现出哪些不同的用途？

古希腊人对静电现象已有所了解——琥珀可以吸起小片的稻草碎叶。在人类文明的历程中，有很多关于电能的重要发现与发明。本页介绍其中几个具有里程碑意义的重要发明——从简单的电池到复杂的电话网络。

伏特向拿破仑展示他发明的电池。

伏特与电池

亚历山德罗·伏特伯爵是一名意大利科学家。1800年，伏特发现可以通过化学反应产生电能，这是他一生中最重要的科学发现。他将一枚银片与一枚锌片放入酸性溶液中，当他用导线连接上这两枚金属片后，发现有电流输出，通过这种方法伏特制作出了世界上第一个电池。他发明的这个电池被后人称为“伏打电堆”。

安德烈·玛丽·安培

富兰克林与安培

美国科学家本杰明·富兰克林 (1706—1790) 证明了闪电是自然界的一种放电现象。在一场暴风雨中，他将一个风筝放飞到空中，风筝线的另一端系在一个插入到地面中的金属片上。闪电击中了风筝，电流沿着风筝线传到了地面上。

安德烈·玛丽·安培 (1755—1836) 是一名法国科学家。他是第一个发现电与磁之间关系的人。

本杰明·富兰克林

电话

亚历山大·格拉汉姆·贝尔 (1847—1922) 于 1876 年发明了电话。伊莱沙·格雷也发明了电话，但是贝尔却提前一步申请了专利。电话是第一个使用了基于电磁原理的微型话筒的设备。电话一经发明，马上就成了人类重要的通信工具之一。

亚历山大·格拉汉姆·贝尔

阳极

在电解过程中负电荷粒子积聚之处。

原子

构成化学元素的基本单元和化学变化中的最小微粒。原子中有一个带正电的原子核，还有若干个围绕原子核转动的带有负电荷的电子。

阴极

在电解过程中正电荷粒子积聚之处。

电荷

带正负电的基本粒子，称为电荷。在原子内部，原子核载有正电荷，电子载有负电荷。正负电荷互相吸引，而相同的电荷，例如两个电子，会互相排斥。

电路

可以让电流传输起来的完整路径。

电流

在电路中流动的负电荷（电子）流。

输电网络

国家级的电流输送系统，它使用电缆将发电站与用户连接起来。

芯片

内含集成电路的微型硅片，体积很小；常用于计算器及其他电子设备中。

静电

一种处于静止状态的电荷。当两个物体相互摩擦时，电子会在物体之间移动。一个物体中的正电荷会增多，而另一个物体中的负电荷会增多，随着电荷数量的增多，在物体表面上就形成了静电。当一个物体上的负电荷积聚到一定数量时，它就会以电火花的形式向带有正电荷的物体表面移动。

变电站

发电站输出的电流要输送到很远的地方，所以它的电压很高，不能直接供厂矿企业或家庭使用。在你能使用它们之前，电流必须经过若干个变电站，将它的电压降下来，这样你才能安全地使用它们。

超导体

对电流的传输没有任何阻碍的物体。到目前为止，人类发现的超导体只有在温度极低的情况下才能失去其电阻，让电流顺畅无阻地传输。

极点

电池上与导线连接的部分。电池有两个极点——阳极点与阴极点。

LESENS
PHILIPS
1,5 V
extra
R 20 S